JN174844

瀬尾幸子

新星出版社

はじめに

野菜が食べたい

でもアイデアが浮かばないし、どうやって料理すればよいかわからない

やっぱりいつもの、料理になっちゃう

体のために野菜を多く食べたいけれど、外食だったり、

買ったおかずが多いとむずかしいですよね。

身近な材料で、簡単にできて、

おまけにとてもおいしい料理、知りたくありませんか？

野菜を食べるなら、やはり家で手作りが一番。

でも、難しいんじゃない？

そんなことありませんよ。

シンプルな料理というのは、素材の味をそのまま活かすということなんです。
調味料もできるだけシンプルにすると、
この野菜はこんないいお味だったんだなと実感できます。

調理法も、調味料もシンプルだから、失敗も少ないのです。
おまけに、野菜料理はカロリーも控えめなので、
おなかいっぱい食べても安心。
体も軽やかです。

おいしくて、体も楽ちん。
ぜひ、作って食べて、実感してください。

――瀬尾幸子

もくじ

はじめに …… 2

野菜のおかず …… 8

キャベツ …… 8
レンチンキャベツのサラダ …… 10
キャベツとひき肉のみそ炒め …… 11
キャベツと塩昆布炒め …… 12
キャベツのおでん風 …… 13

白菜 …… 14
白菜の塩もみゆず風味 …… 14
白菜と油揚げの煮びたし …… 15
白菜漬けともやしの炒めもの …… 16
白菜チーズオムレツ …… 17

青菜 …… 18
ほうれん草のおひたし …… 18
ほうれん草とコーンのバター炒め …… 19

ゆで青菜アレンジ3種 …… 20
青菜のオリーブオイルサラダ …… 20
小松菜とちくわのからし和え／春菊と豚肉のゴマ和え …… 21
小松菜の卵炒め …… 22
ニラ玉マヨ炒め …… 23

タマネギ …… 24
タマネギの南蛮漬け …… 24
タマネギとウインナーのケチャップしょうゆ炒め …… 25
タマネギと油揚げの甘辛炒め …… 26
たっぷりタマネギの油揚げ包み焼き …… 27

長ネギ …… 28
長ネギのバター焼き …… 28
厚揚げのネギみそ焼き …… 29
ネギ卵焼き …… 30
刺身とネギ塩の和えもの／ネギ塩 …… 31

コラム1 チヂミを作ろう。 …… 32
ひじきチヂミ …… 32
ニラチヂミ／すりおろしレンコンのチヂミ …… 33
せん切りにんじんのかき揚げ風チヂミ …… 34
すりおろしジャガイモのチヂミ …… 35

にんじん …… 36
にんじんタラコ炒め …… 36
にんじんと厚揚げの白和え …… 37
にんじんと厚揚げの甘辛炒め …… 38
にんじんヨーグルトサラダ …… 39

じゃがいも …… 40
薄切りじゃがいものバターガレット …… 40

たくあん入りポテサラ……41
レンチンじゃがいもと缶ミートソースのグラタン……42
じゃがいもの塩酢炒め……43

長芋……44
長芋おかかなめたけ……44
長芋ポテサラ……45
とろろとウインナーのチーズ焼き／
長芋の明太子和え……46

レンコン……48
レンコンきんぴら……48
レンコン明太バター……49
レンコンのカレーしょうゆ炒め……50
すりゴマ酢レンコン……51

かぼちゃ……52
かぼちゃのガーリック炒め……52
かぼちゃとカッテージチーズのサラダ……53
かぼちゃのトマト煮……54
レンジかぼちゃ煮……55

大根……56
なめたけおろし和え……56
おろし大根と塩鮭の和えもの／
おろし大根と厚揚げのさっと煮……57
おろし大根とちくわのゆずこしょう和え……58
大根と生ハムのマリネ……59

かぶ……60
焼きかぶのオリーブオイルかけ／
レンジかぶと鮭フレークのめんつゆかけ……60
かぶのゆかりもみ……62
かぶとみかんのサラダ……63

もやし……64
もやしナムル……64
ナムル卵焼き／もやしのビビンパ……65
もやしのオイスターソース炒め……66
もやしのカレーサラダ……67

いんげん……68
いんげんの塩ゆでオリーブオイルかけ……68
ラー油マヨ和え／しょっつる和え／レンチン鶏むね肉……69
いんげんとベーコンのスープ煮……70
いんげんと油揚げの煮びたし……71

セロリ……72
セロリの甘酢漬け……72
セロリとわかめの酢の物……73
セロリの葉の塩炒め……74
セロリのオリーブオイルマリネ……75

トマト 76
プチトマトと粒コーンのバターソテー 76
プチトマト豚肉巻き焼き 77
トマト甘酢和え 78
プチトマトとウインナーのカレー炒め 79

ブロッコリー 80
マカロニブロッコリー 80
ブロッコリーとハムのカッテージチーズサラダ 81

アスパラガス 82
蒸し焼きアスパラの目玉焼きのせ 82
アスパラとベーコンのパン粉焼き 83

コラム❷ 豆腐&納豆は強〜い味方。 84
薬味じょうゆ／崩し薬味豆腐 85
長芋納豆 86
タマネギ納豆 87

きのこ 88
しいたけレンジシューマイ 88
エノキバターしょうゆ炒め 89
エリンギのガーリックオリーブオイルソテー 90
シメジと油揚げの卵とじ 91

油揚げ 92
油揚げと青菜の炒め煮 92
油揚げのひき肉巻き煮 93

缶詰 94
味つけサバ缶のチーズドリア 94
サバ缶キムチ 95
ツナ缶オニオンスライス 96
イワシ缶トマト炒め 97

おつまみ・小鍋・スープ・茶碗ごはん 98

おつまみ 100
かまぼこの梅はさみ 100
魚肉ソーセージのマヨサラダ 101
はんぺんうにチーズ焼き 102
ちくわのマヨネーズ焼き 103
焼き厚揚げのショウガじょうゆ 104
厚揚げのオイスターソース焼き 105

コラム❸ 揚げものもこれならカンタン。 106
レンコンの天ぷら風 106

ちくわの磯辺揚げ風……107
ワンタンチーズ揚げ……108
納豆磯辺揚げ……109

小鍋……110
ごぼうと牛肉の小鍋……110
豚肉とほうれん草の小鍋……111
油揚げと春菊の小鍋……112
長ネギと鶏もも肉の小鍋……113

スープ……114
サバ缶とネギのすまし汁……114
白菜と卵の中華スープ……115
キャベツのコンソメスープ……116
白菜漬けとプチトマトのスープ……117

茶碗ごはん……118
しらすおろしごはん……118
ねこめし……119
明太チーズごはん……120
鶏ひき肉の親子煮ごはん……121
ショウガそぼろごはん……122
たぬきごはん……123

素材別さくいん……124

Staff
デザイン　regia
撮影　貝塚 隆
スタイリング　大畑純子
原稿作成　横田悦子
調理アシスタント　久世謙太郎
撮影協力　UTUWA

この本を使う前に

- 材料と作り方は、２人分または１人分としていますが、レシピによっては作りやすい分量で表記しています。
- 材料の分量は、目安として個数を載せている場合と、重量（g／皮などを含む）を載せている場合があります。
- 記載の人数分よりも多く作る場合、加熱時間や調味料の分量などが変わりますので、途中で味をみるなどして調整してください。
- 大さじは 15 mℓ、カレーを食べるスプーンぐらい、小さじ１は５mℓ、ティースプーンぐらいで、１カップは 200 mℓ。いずれもすりきりで、はかります。
- しょうゆは濃口しょうゆ、バターは有塩バター、砂糖は上白糖を使用しています。
- だし汁は、市販の顆粒だしの素（昆布やかつお風味）を表示の濃度で使用しています。
- 電子レンジの加熱時間は 500 wを目安にしています。機種によって加熱具合が異なる場合がありますので、様子を見ながら加減してください。
- 電子レンジなどで使う耐熱容器は、ふたに小さな空気弁のついたタイプを使用しています。穴のないふたを使う場合は、ぱちんと閉めず、上にのせた状態で調理してください。

野菜のおかず

家にある野菜ですぐ作れるように、
野菜ごとに数品ずつレシピを紹介しました。
野菜をちょっとでも食べたいときに、
この本を開いてください。

後半では保存の効く缶詰を使ったレシピなども
掲載しています。
ほとんどが数分でちゃちゃっと作れる
カンタンなレシピなので、

軽く済ませたいときのごはんにもおすすめ。

そしてこの本のレシピでは、
コショウはすべて黒コショウを使っています。
それは私が黒コショウの香りが大好きだから。
コショウは香りが命。
コショウの辛みよりも
香りを活かしたいのですが、
最初から挽かれているものは、
残念ながら香りが弱く辛味のほうが
際立っています。
簡易ミルに粒コショウが入っているものが
スーパーでも売られていますので、
使ったことが無い方は、
ぜひ試してみてください。

キャベツ

レンチンキャベツのサラダ

甘みと味わいを残せるレンチンがおいしい。

材料（2人分）

キャベツ
…3枚（200g程度）
オリーブオイル…小さじ2
マヨネーズ…小さじ2
レモン汁…小さじ1
塩、黒コショウ…少々

＋これを加えても！
ハム、ツナ、レンチン鶏むね肉

作り方

1 キャベツは3cm角に切り、レンジ（500w）で4分加熱する。
2 加熱後、すぐに流水をかけ、かるく絞って調味料で和える。

キャベツとひき肉のみそ炒め

豚ひき肉に小麦粉を混ぜて、しっとりやわらか。

材料(2人分)

キャベツ
…小1/4個(250g程度)
豚ひき肉…50g
ニンニク薄切り…1/2片分

小麦粉…小さじ1
みそ…大さじ2
みりん…大さじ1
サラダ油…小さじ2
七味唐辛子(好みで)…少々

作り方

1 キャベツは一口大に切る。豚ひき肉に小麦粉をまぶす。

2 フライパンにサラダ油を中火で熱し、キャベツを3分じっくり炒める。

3 キャベツを片側に寄せ、ニンニク、肉を入れて炒める。

4 肉に火が通ったらくずし、強火にしてみそとみりんを混ぜて入れ、全体にからめる。好みで七味唐辛子をふる。

キャベツ

キャベツと塩昆布炒め

味付けは、
塩昆布だけ!

材料(2人分)

キャベツ…3枚(200g程度)
オリーブオイル…小さじ2
塩昆布…5g

+これを加えても!
レンチン鶏むね肉、豚薄切り肉

作り方

1 キャベツは3cmくらいに切る。
2 フライパンにオリーブオイルを中火で熱し、キャベツを3分じっくり炒める。
3 塩昆布を加えて混ぜ、火を止める。

キャベツ

キャベツのおでん風

具がちょうど入る
くらいの大きさの鍋で。

材料（2人分）

キャベツ…1/4個（300g程度）
油揚げ…1枚
だし汁…4カップ
薄口しょうゆ…大さじ2
顆粒鶏スープの素…小さじ2/3
塩…少々

作り方

1 キャベツは芯を取らず半分に切り、楊枝を刺してとめる。油揚げは8等分に切る。

2 鍋に塩以外の材料を入れて中火にかけ、煮立ったら弱火にして落としぶたをし、キャベツがやわらかくなるまで煮る。

3 味をみて塩を足し、好みで七味唐辛子やゆずコショウ、練りからしを添える。

これにチェンジ
油揚げ→
厚揚げ、さつま揚げ、ベーコン

白菜の塩もみ ゆず風味

かるくもんで
10分くらいおいてから
水気を絞って。

材料（2人分）
白菜…2枚（200g程度）
ゆずの皮のせん切り…少々
塩…小さじ2/3

作り方
1 白菜は5㎜幅に切る。
2 ゆずの皮のせん切りと塩を加えてかるくもみ、しんなりしたら水気を絞る。

白菜

白菜と油揚げの煮びたし

火を止めて冷める時に味がしみる。

材料（2人分）

白菜…1/4株（500g程度）
油揚げ…1枚
ショウガせん切り…10g
だし汁…4カップ
しょうゆ…小さじ2
塩…小さじ1

作り方

1 白菜は5cm幅に、油揚げは8等分に切る。
2 鍋に材料を全部入れて中火で煮立て、やわらかくなるまで5分くらい煮る。
3 煮えたら火を止めて5分くらいおき、味をしみこませる。

白菜漬けともやしの炒めもの

白菜漬けは、炒めものや
餃子の具にしてもおいしい。

+これを加えても！
豚薄切り肉、スパム

材料（2人分）

白菜漬け…100g
もやし…1袋
卵…2個
ゴマ油…大さじ1
顆粒鶏スープの素
　…小さじ1/2
塩…小さじ1/4
黒コショウ…少々

作り方

1 かるく水気を絞った白菜漬けは2cmのざく切りにする。もやしは気になるようならひげ根をとる。卵は割りほぐす。
2 フライパンにごま油を中火で熱し、もやしを3分炒める。
3 白菜漬けを加え、あたたまったら顆粒鶏スープの素、塩、黒コショウをふる。
4 強火にして卵を流し入れ、全体をゆっくりかき混ぜて、卵に火が通ったらできあがり。

白菜チーズオムレツ

材料（2人分）

白菜…1/8株（250g程度）
卵…4個
ピザ用チーズ…50g
牛乳…大さじ1
塩、黒コショウ…各少々
オリーブオイルまたはバター
…大さじ1.5

＋これを加えても！
ベーコン、ハム、塩昆布

作り方

1 白菜は5㎜幅に切る。卵は割りほぐして、ピザ用チーズ、牛乳、塩、黒コショウを混ぜておく。

2 フライパンを中火で熱し、オリーブオイルまたはバターで白菜を焦がさないように3分炒める。

3 強火にして卵液を流し入れ、大きくゆっくりかき混ぜる。焦げ目がつくまで焼き、裏返す。

4 両面に焦げ目がついたらできあがり。好みでマヨネーズやソースをかけても。

ほうれん草のおひたし

青菜

材料（2人分）

ほうれん草…1わ
かつお節…3g
しょうゆ…大さじ1弱
熱湯…2/3カップ

作り方

1 ほうれん草は根元を2つか4つに割ってよく洗う。4㎝に切り、塩を加えた熱湯でゆでる。

2 ざるにあけ、冷水でさまし、水気をかるく絞る。

3 ボウルに熱湯とかつお節、しょうゆを混ぜ、ほうれん草をひたす。

根元を割って洗えば、
しっかり泥が落とせる。

青菜

ほうれん草とコーンのバター炒め

コーンは、焦げ目がつくまで炒めると、味が濃縮。

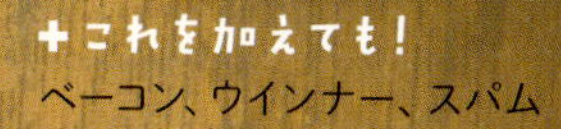

+これを加えても！
ベーコン、ウインナー、スパム

材料（2人分）

ほうれん草…1わ
粒コーン…1カップ
バター…大さじ1
しょうゆ…大さじ1弱
黒コショウ…少々

作り方

1. ほうれん草は根元を2つか4つに割ってよく洗い、4cmに切る。
2. フライパンを中火で熱し、バターとコーンを入れて炒める。
3. コーンに焦げ目がついたらほうれん草を入れて炒め、しょうゆ、黒コショウで炒りつける。

ゆで青菜アレンジ3種

ここで紹介するメニューは小松菜、ほうれん草、春菊など、どの青菜で作ってもOK。

青菜のオリーブオイルサラダ

材料（2人分）

小松菜…1/2わ
ハム…2枚
オリーブオイル…大さじ1
マヨネーズ…大さじ1
しょうゆ…小さじ1
塩、黒コショウ…各少々

＋これを加えても！
黒オリーブ、カッテージチーズ

作り方

1 小松菜は根元を切り落として洗い、3㎝に切る。ハムは短冊に切る。
2 塩を入れた熱湯で小松菜をゆで、冷水にさっとくぐらせる。
3 小松菜の水気をかるく絞り、ハム、オリーブオイル、マヨネーズ、しょうゆと混ぜる。味をみて塩、黒コショウを加える。

小松菜とちくわのからし和え

材料（2人分）

小松菜…1/2わ
ちくわ…2本
しょうゆ…小さじ2
かつお節…3g
熱湯…50cc
練りからし
…小さじ1/3

これにチェンジ
ちくわ→
カニカマ、
レンチン鶏むね肉

作り方

1. 小松菜は根元を切り落として洗い、3cmに切る。ちくわは食べやすく切る。
2. 塩を入れた熱湯で小松菜をゆで、冷水にさっとくぐらせて水気を絞る。
3. ボウルに熱湯、かつお節、しょうゆを入れて混ぜ、小松菜とちくわ、練りからしを入れて和える。

春菊と豚肉のゴマ和え

材料（2人分）

春菊…1わ　豚薄切り肉…100g
白すりゴマ…大さじ2.5　しょうゆ…大さじ1
砂糖…小さじ2　マヨネーズ…小さじ2

作り方

1. 春菊は根元の硬いところを切り落として塩ゆでにし、冷水にとる。かるく水気を絞って3cmくらいに切る。
2. 春菊をゆでたお湯で豚肉をさっとゆで、食べやすい大きさに切る。
3. ボウルに調味料をすべて入れて混ぜ、春菊と豚肉を和える。

青菜

小松菜の卵炒め

材料（2人分）

小松菜…1/2わ
長ネギ…10cm
卵…2個
ゴマ油…大さじ1
顆粒鶏スープの素
…ふたつまみ
塩…小さじ1/3
黒コショウ…少々

作り方

1 小松菜は根元を切り落として洗い、3cmに切る。長ネギは斜め薄切りにする。卵は割りほぐす。

2 フライパンにゴマ油を中火で熱し、長ネギをしんなりするまで炒める。

3 小松菜を加えて炒め、しんなりしたら水100cc（分量外）を加えて煮立てる。小松菜に火が通ったら、水を捨てる。

4 顆粒鶏スープの素、塩、黒コショウで調味する。卵を加えて全体を大きくゆっくりかき混ぜ、卵に火が通ったらできあがり。

"炒めゆで"にすれば、
やわらかく火が通る。

ニラ玉マヨ炒め

材料（2人分）

ニラ…1わ
卵…4個
サラダ油…小さじ2
塩、黒コショウ…各少々
マヨネーズ…大さじ1
ソース…大さじ1

ニラは、根元に
甘みがあるよ。

作り方

1 ニラは3㎝のざく切りにする。卵は割りほぐし、塩、黒コショウを加えて混ぜる。

2 フライパンにサラダ油を中火で熱し、ニラをしんなりするまで炒める。

3 卵を加えてゆっくり大きく混ぜる。卵に火が通ったら器に盛り、マヨネーズとソースをかける。

タマネギの南蛮漬け

タマネギ

から揚げにのせて食べると、
さっぱりしておいしい。

材料（作りやすい分量）

タマネギ…1個
<南蛮酢>
酢…1/2カップ
水…1/3カップ
砂糖…大さじ3
しょうゆ…大さじ2
赤唐辛子輪切り…少々

作り方

1 タマネギは薄切りにする。

2 容器に南蛮酢の材料をすべて入れて混ぜる。

3 タマネギを加えて混ぜ、一晩おく。冷蔵庫で2週間保存OK。

タマネギとウインナーのケチャップしょうゆ炒め

ケチャップがオレンジ色に変わるまで、しっかり炒める！

これにチェンジ
ウインナー→豚薄切り肉

材料（2人分）

タマネギ…1個
ウインナーソーセージ…4本
サラダ油…大さじ1
トマトケチャップ…大さじ2
しょうゆ…小さじ2
黒コショウ…少々

作り方

1 タマネギは1㎝のくし形に切ってほぐす。ウインナーは5㎜幅で斜めに切る。
2 フライパンにサラダ油を中火で熱し、タマネギとウインナーを3分炒める。
3 トマトケチャップとしょうゆを加えてオレンジ色になるまで炒め、黒コショウをふる。

タマネギ

タマネギと油揚げの甘辛炒め

材料（2人分）

タマネギ…1個
油揚げ…1枚
サラダ油…小さじ2
しょうゆ…大さじ1.5
砂糖…大さじ1弱
水…100cc
紅ショウガ…適量

作り方

1 タマネギは1cm幅のくし形に切ってほぐす。油揚げは2cm幅の短冊に切る。
2 フライパンにサラダ油を中火で熱し、タマネギをしんなりするまで炒める。
3 油揚げ、しょうゆ、砂糖、水を加えて、水分がなくなるまで炒め煮にする。器に盛り、紅ショウガを添える。

卵でとじて、丼にするのもおススメ！

タマネギをいっぱい入れるのがコツ！
ふんわりじゃなくて、ギューギューに。

たっぷりタマネギの油揚げ包み焼き

材料（2人分）

タマネギ…大きめ1/2個
油揚げ…1枚
かつお節…3g
練りからし、しょうゆ…適量

作り方

1 タマネギは薄切りにしてかつお節を混ぜておく。

2 油揚げを半分に切って開き、タマネギを詰め、口を楊枝で留める。

3 オーブントースター（1000w）で10～15分焼き、からしじょうゆでいただく。

長ネギのバター焼き

芯がやわらかくなるまで
じっくり焼いて。

材料（1人分）

長ネギ…1本
ベーコン…1枚
バター…小さじ1
塩、黒コショウ…各少々
〈オーブントースター用〉
カレー粉
…小さじ1/4～1/2

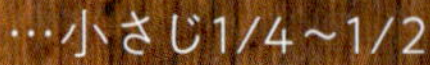

作り方（フライパンで）

1 長ネギは5㎝くらいの長さに切る。ベーコンは短冊に切る。
2 フライパンを中火で熱し、ベーコンを入れて脂が出るまで焼く。
3 長ネギを入れて弱火にし、ふたをして中までやわらかくなるまで、じっくりと焼く。
4 バターを入れてからめ、塩、黒コショウをふる。

作り方（オーブントースターで）

1 長ネギは5㎝くらいの長さに切る。ベーコンは短冊に切る。
2 ホイルに材料を全部入れて包み、オーブントースター（1000W）で10～15分焼く。

長ネギ

厚揚げのネギみそ焼き

材料（2人分）
厚揚げ…1枚

ネギみそ
材料（作りやすい分量）
長ネギ小口切り…1本分
かつお節…6g（小2パック）
みそ…1カップ

作り方
1 厚揚げをオーブントースター（1000W）で8分焼く。
2 ネギみその材料を混ぜておく。
3 厚揚げにネギみそを適量塗り、少し焦げ目がつくまでさらに2～3分焼く。

ネギみそは、
たっぷり作って。
1か月は冷蔵保存OK。

ネギ卵焼き

長ネギ

材料（2人分）

卵…3個
長ネギ…10㎝
塩…ふたつまみ
サラダ油…適量

作り方

1 卵は塩を加えて混ぜる。長ネギは粗みじん切りにする。

2 卵焼き器（またはフライパン）にサラダ油小さじ2を中火で熱してネギを炒め、卵液に加える。

3 サラダ油少々を足して強火にし、ネギ入りの卵液を全部流し入れ、ゆっくりとかき混ぜる。

4 おおよそ火が通ったら、ラップの上に取り出し、形を整える。粗熱がとれるまでそのままおき、食べやすい大きさに切る。

スクランブルエッグをラップで巻いて、厚焼き卵風。

長ネギ

刺身とネギ塩の和えもの

ネギは塩と油を混ぜて
しんなりするまでおく。
ネギ塩奴もおススメ。

ネギ塩

材料（作りやすい分量）

長ネギ…2本
塩…小さじ1.5
ゴマ油…大さじ1

作り方

1 ネギはできるだけ薄く、斜め切りにする。
2 塩とゴマ油を混ぜてしんなりするまでおく。

刺身とネギ塩の和えもの

材料（1人分）

白身魚の刺身…50g
ネギ塩…40g
白炒りゴマ…少々
黒コショウ、コチュジャン
（好みで）…適量

作り方

1 刺身は薄切りにしてネギ塩と和え、白ゴマをふる。
2 好みで黒コショウやコチュジャンを添えていただく。

これにチェンジ
お刺身→
チャーシューに代えて、
ラー油をたらす。

コラム1

チヂミを作ろう。

冷蔵庫にある
野菜に
小麦粉をまぶして
焼くだけで
チヂミのできあがり。
コツは多めの
油を使って
カリッと焼くこと。
小腹が減ったときや、
お酒のおつまみにも。

ひじきチヂミ

材料(2人分)

乾燥ひじき…10g
万能ネギ…1/2わ
小麦粉…2/3カップ
卵…1個
ゴマ油…大さじ2
ポン酢、コチュジャン(好みで)
…適量

作り方

1 乾燥ひじきはたっぷりの水でもどして水気をきる。万能ネギは3cmに切る。
2 ボウルにひじきと万能ネギを入れ、小麦粉を入れて混ぜてから、卵を加えて混ぜる。タネが固すぎて混ぜにくい場合は水を少々加える。
3 フライパンを中火で熱し、ゴマ油を入れ、おたま1杯分ずつ入れて焼く。
4 ポン酢とコチュジャン(好みで)でいただく。

ニラチヂミ

材料（2人分）

ニラ…1わ
サクラエビ…1/4カップ（8g程度）
小麦粉…1/2カップ
水…大さじ3～4
サラダ油…大さじ2
ポン酢、コチュジャン（好みで）
　…適量

作り方

1 ニラは3cmに切る。根元もすべて使う。
2 ボウルに、ニラ、サクラエビ、小麦粉を入れて混ぜ、水を少しずつ加えて混ぜる。
3 フライパンを中火で熱し、サラダ油を入れ、薄く広げて焼く。
4 ポン酢、コチュジャン（好みで）でいただく。

レンコンは
鬼おろしでおろすと
歯ごたえも楽しめる。

すりおろしレンコンのチヂミ

材料（2人分）

レンコン…1節（200g程度）
ベーコン…1枚
オリーブオイル…大さじ2
ポン酢、七味唐辛子
またはコチュジャン…適量

作り方

1 レンコンは皮ごとすりおろす。ベーコンは5mm幅に切る。
2 すりおろしたレンコンとベーコンを混ぜる。
3 フライパンを中火で熱し、オリーブオイルを入れ、薄く広げて焼く。
4 ポン酢、七味唐辛子またはコチュジャンでいただく。

せん切りにんじんの
かき揚げ風チヂミ

材料（2人分）

にんじん…1本
（120g程度）
クルミ…30g
小麦粉…1/2カップ
卵…1個
サラダ油
…大さじ2
塩またはめんつゆ
…適量

作り方

1 にんじんは皮をむいてせん切りにし、水大さじ1（分量外）をかけて、レンジ（500w）で2分加熱する。クルミは粗みじん切りにする。

2 ボウルににんじん、クルミ、小麦粉、卵を入れて混ぜる。タネが固すぎて混ぜにくい場合は水を少々加える。

3 フライパンを中火で熱し、サラダ油で小さめに焼く。

4 塩またはめんつゆでいただく。

すりおろしたら、
すぐに焼いて。

すりおろしじゃがいもの チヂミ

材料（2人分）

じゃがいも…3個
白菜キムチ…50g
小麦粉…大さじ1
ゴマ油…大さじ2
ポン酢…適量

作り方

1 白菜キムチは1cm幅に切る。じゃがいもは皮をむいてすりおろし、小麦粉を混ぜる。

2 フライパンを中火で熱し、ゴマ油を入れてじゃがいものすりおろしを広げる。その上に白菜キムチを散らす。

3 両面を焼き、ポン酢でいただく。

にんじんタラコ炒め

にんじん

材料（2人分）

にんじん…1本（120g程度）
タラコ…大さじ4
サラダ油…大さじ1
塩…少々

作り方

1 にんじんは皮をむいてせん切りにする。タラコは薄皮をとる。

2 フライパンを中火で熱し、サラダ油でにんじんをしんなりするまで炒める。

3 タラコを加えて炒め、水を大さじ2程度（分量外）加えて、水気がなくなるまで炒める。やわらかめにする場合は、水を多めに入れる。

4 味をみて塩で調える。

タラコによって塩分が違うので、味をみて、薄いようなら塩を足して。

にんじんと厚揚げの白和え

にんじん

厚揚げの中身をころもに、
外側は具に。

材料（2人分）

にんじん
　…1本（120g程度）
絹厚揚げ…1枚
白すりゴマ…大さじ1.5
砂糖…小さじ1.5
薄口しょうゆ…小さじ1

作り方

1 にんじんは皮をむき短冊に切って、塩ゆでするか、レンジ（500w）で3分加熱する。

2 厚揚げは皮を切り取り、白い部分をこそげとってから短冊に切る。

3 厚揚げの中身の部分をフォークでつぶし、白すりゴマ、砂糖、薄口しょうゆを混ぜ、厚揚げの皮とにんじんを和える。

にんじんと厚揚げの甘辛炒め

にんじん

37ページの白和えと
ほとんど同じ材料でもう一品。

材料（2人分）

にんじん…1/2本（60g程度）
絹厚揚げ…小2枚（1パック）
ゴマ油…小さじ2
しょうゆ…大さじ1
砂糖…大さじ1/2
白炒りゴマ…小さじ1

作り方

1 にんじんは皮をむいて短冊に切る。厚揚げは縦半分に切り、5㎜の厚さに切る。
2 フライパンを中火で熱し、ゴマ油でにんじんをしんなりするまで炒める。
3 厚揚げを加えて炒め、水100cc（分量外）としょうゆ、砂糖を入れる。
4 水気がなくなるまで煮て器に盛り、白ゴマをふる。

にんじん

にんじんヨーグルトサラダ

にんじんはレンチンすると、甘くなるので、ヨーグルトの酸味と合う。

材料（2人分）

にんじん…1本
（120g程度）
ハム…2枚
プレーンヨーグルト
…大さじ1
マヨネーズ…大さじ1
塩…小さじ1/4
黒コショウ…少々

作り方

1 にんじんは千六本（太めのせん切り）に、ハムは細切りにする。

2 耐熱容器ににんじんと水50cc（分量外）を入れ、レンジ（500w）で3分加熱する。

3 プレーンヨーグルト、マヨネーズ、塩、黒コショウを混ぜ、にんじんとハムを和える。

薄切りじゃがいものバターガレット

くっつけて焼きたいので、
じゃがいもは切ったら
洗わないで。

材料（2人分）

じゃがいも…3個
バター…大さじ1
塩、黒コショウ…各少々

＋これを加えても！
ベーコン

作り方

1 じゃがいもは皮をむき、薄い輪切りにする。

2 フライパンにじゃがいもをすき間なく入れてバターをのせ、ふたをして弱火で7分焼く。

3 裏返してふたをせず、焦げ目がつくまで焼き、塩、黒コショウをふる。好みで焼き上がりに粉チーズをかけても。

じゃがいも

たくあん入りポテサラ

たくあんの食感が楽しい
ポテトサラダ。

材料（2人分）

じゃがいも
…大1個（150g程度）
たくあん…30g
タマネギ…1/8個
マヨネーズ…大さじ1
塩、黒コショウ…各少々

作り方

1. じゃがいもは洗って濡れたままラップに包み、レンジ（500w）で4分加熱する。皮をむいて熱いうちにつぶす。
2. たくあんは5㎜角に切る。タマネギは薄切りにし、マヨネーズと合わせて5分おく。
3. 材料を全部混ぜ合わせ、水を適量加え、やわらかめに仕上げる。

レンチンじゃがいもと缶ミートソースのグラタン

じゃがいもも
缶ミートソースも
保存がきくので、
いつでも作れる。

材料（2人分）

じゃがいも…2個
ミートソース缶
…1缶（190g程度）
牛乳…大さじ4〜6
塩、黒コショウ…各少々
ピザ用チーズ…40g

作り方

1 じゃがいもは洗って濡れたままラップに包み、レンジ（500w）で8分加熱する。
2 皮をむいて熱いうちにつぶし、牛乳、塩、黒コショウを混ぜる。
3 焼き皿にバター（分量外）をぬってじゃがいもを広げ、ミートソース、ピザ用チーズをのせて、オーブントースターで焦げ目がつくまで焼く。

じゃがいもの塩酢炒め

シャキシャキが
おいしさの決め手。
炒めすぎに注意。

材料（2人分）

じゃがいも…2個
豚薄切り肉…2枚
ニンニク…1/2片
サラダ油…大さじ1
酢…大さじ1
塩…小さじ1/3
黒コショウ…少々

作り方

1 じゃがいもは皮をむいて太めのせん切り、豚薄切り肉は1cm幅に、ニンニクはせん切りにする。

2 フライパンにサラダ油を中火で熱してニンニクを軽く炒め、豚肉を加えて炒める。

3 豚肉に火が通ったらじゃがいもを加え、じゃがいもが半透明になったら強火にし、酢、塩、黒コショウを加えて炒め合わせる。

ポリ袋の中で長芋をつぶして、
そのまま和えればOK!

長芋おかかなめたけ

材料（2人分）

長芋…15㎝程度
なめたけ瓶詰…大さじ3
かつお節…少々

作り方

1 長芋は皮をむき、厚手のポリ袋に入れる。

2 すりこぎなどの硬いもので、1㎝角くらいのかたまりが残るくらいに、全体を叩いてつぶす。

3 なめたけ、かつお節をポリ袋の中で混ぜる。

長芋

長芋ポテサラ

材料（2人分）

長芋…20cm程度
万能ネギ…5本
ハム…4枚
マヨネーズ…大さじ2
塩・黒コショウ
…各少々

これにチェンジ
ハム→
しらす、カリカリベーコン

作り方

1. 長芋は皮をむき、一口大に切る。耐熱容器に入れてラップをかけ、レンジ（500w）で7分加熱する。
2. 万能ネギは小口切りに、ハムは5㎜角に切る。
3. 長芋を熱いうちにつぶし、マヨネーズ、塩、黒コショウ、万能ネギ、ハムを混ぜる。

長芋はしっかり加熱するとホクホクに。

とろろとウインナーのチーズ焼き

豆腐を加えてやわらかく！
水切りしなくても
大丈夫。

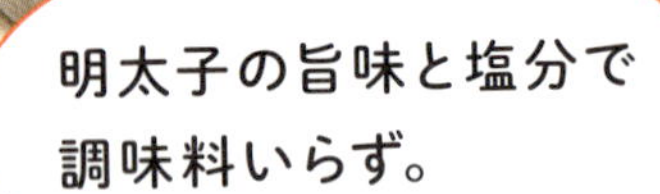

明太子の旨味と塩分で
調味料いらず。

長芋の明太子和え

長芋

とろろとウインナーのチーズ焼き

材料（2人分）

長芋…10cm程度
木綿豆腐…1/2丁
ウインナーソーセージ…3本
ピザ用チーズ…70g
塩…小さじ1/3
黒コショウ…少々
バター…小さじ1

＋これを加えても！
ツナ缶、タマネギ、コーン

作り方

1 長芋は皮をむいてすりおろす。豆腐は手でつぶす。ウインナーソーセージは斜め薄切りにする。

2 長芋、豆腐、ウインナーソーセージと、チーズの半量、塩、黒コショウを混ぜ、焼き皿に入れる。

3 残りのチーズ、バターをのせ、オーブントースター（1000w）で15分焼く。

長芋の明太子和え

材料（2人分）

長芋…15cm程度
明太子…大さじ3～4
カイワレ（あれば）…適量

作り方

1 長芋は皮をむき、厚手のポリ袋に入れる。

2 すりこぎなどの硬いもので、1cm角くらいのかたまりが残るくらいに、全体を叩いてつぶす。

3 明太子は薄皮をとり、ポリ袋の中で長芋と和える。あればカイワレのざく切りをそえる。

レンコンきんぴら

レンコン

レンコンは火の通りが
早いので、
豚肉を先に炒めて。

材料（2人分）

レンコン…150g程度
豚薄切り肉…100g
ゴマ油…大さじ1
しょうゆ…大さじ1.5
みりん…大さじ1.5
（または砂糖大さじ1）
七味唐辛子…適量

作り方

1. レンコンは皮をむいて、薄いいちょう切りにする。豚肉は2cm幅に切る。
2. フライパンにゴマ油を中火で熱し、豚肉を炒める。豚肉の色が変わったらレンコンを入れて炒める。
3. レンコンに透明感が出たら強火にし、しょうゆ、みりんを加えて煮からめる。
4. 器に盛り、七味唐辛子をふる。

レンコン明太バター

みんなの好きな明太バター味。
たらこでもOK。

材料（2人分）

レンコン…300g程度
明太子…大さじ3
バター…大さじ1
塩、黒コショウ…各少々
万能ネギ小口切り
…少々

作り方

1 レンコンは皮をむいて、薄い半月切りにする。明太子は薄皮をとる。
2 フライパンにバターを中火で溶かし、レンコンを炒める。レンコンに透明感が出たら、明太子を加えて炒める。
3 黒コショウをふり、味をみて塩を加え、万能ネギを散らす。

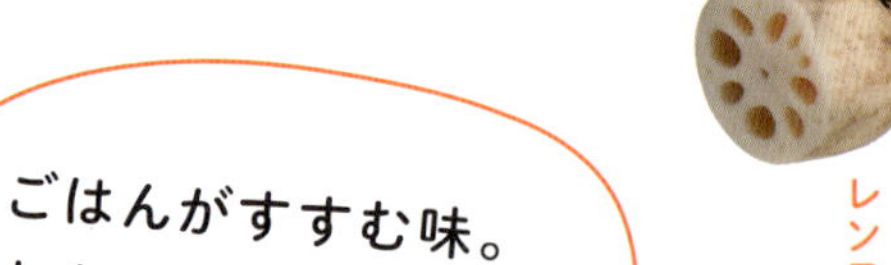

ごはんがすすむ味。
お弁当のおかずにも。

レンコンのカレーしょうゆ炒め

材料（2人分）

レンコン…250g程度
豚薄切り肉…4枚
バター…大さじ1
カレー粉…小さじ2/3
しょうゆ…大さじ1弱
みりん…大さじ1弱

これにチェンジ
豚肉→
ウインナーソーセージ、
ツナ缶

作り方

1. レンコンは皮をむいて、薄いいちょう切りにする。豚肉は3cm幅に切る。
2. フライパンにバターを中火で熱し、豚肉を炒める。豚肉の色が変わったらレンコンを加えて炒める。
3. レンコンに透明感が出たら、カレー粉をふって混ぜ、しょうゆ、みりんを加えて水気が無くなるまで炒める。

レンコン

すりゴマ酢レンコン

材料（2人分）

レンコン…250g程度
酢…50cc
砂糖…大さじ2
塩…小さじ1/2弱
白すりゴマ…1/3カップ

作り方

1 レンコンは皮をむいて半月切りにする。
2 鍋にレンコン、酢、砂糖、塩を入れ、ふたをして中火で1分炒り煮にする。
3 ふたをとって水気を飛ばし、火を止めてすりゴマを混ぜる。

調味料で炒り煮にするから味がしっかり入る。

かぼちゃのガーリック炒め

材料（2人分）

かぼちゃ…1/8個
ニンニク…2片
オリーブオイル
…大さじ2
塩、黒コショウ
…各適量

作り方

1 かぼちゃは種をとって一口大に切り、耐熱容器に入れてラップをかけ、レンジ（500W）で4分加熱する。ニンニクは薄切りにする。

2 フライパンにニンニクとオリーブオイルを入れて中火にかけ、ニンニクが色づいたら取り出す。

3 かぼちゃを入れ、表面に焦げ目がつくように、返しながら焼く。ニンニクを戻し、塩、黒コショウをふる。

ニンニクはカリカリ
きつね色に焼いて。

かぼちゃとカッテージチーズのサラダ

材料（2～3人分）

かぼちゃ…1/4個
タマネギみじん切り…大さじ4
マヨネーズ…大さじ2
ハム…2～3枚
カッテージチーズ…1/2～1カップ
塩、黒コショウ…各少々
くるみの粗みじん切り（あれば）…大さじ3

作り方

1 かぼちゃは種をとって一口大に切り、耐熱容器に入れてラップをかけ、レンジ（500W）で7分加熱する。熱いうちにつぶす。ハムは1cm角に切る。

2 タマネギとマヨネーズは混ぜて5分おく。

3 材料をすべて混ぜ、味をみて塩、黒コショウで調える。

かぼちゃは平らな面を下にすれば、しっかり力を入れて切れる。

かぼちゃ

かぼちゃのトマト煮

材料（2〜3人分）

かぼちゃ…1/4個
タマネギ…1/4個
ニンニク…1片
ベーコン（無くてもよい）
…2枚
オリーブオイル…小さじ2
トマト水煮缶（カット）
…1缶（400g）
固形スープの素…1個
塩、黒コショウ…各少々

作り方

1 かぼちゃは種をとり、一口大に切る。タマネギ、ニンニクは薄切りにする。ベーコンは2cm幅に切る。

2 鍋にオリーブオイル、タマネギ、ニンニクを入れ、中火でしんなりするまで炒める。

3 かぼちゃ、ベーコン、トマト水煮缶、水1カップ（分量外）、固形スープの素を入れて煮立てる。ふたをずらしてかけ、中火のまま10分煮る。

4 味をみて、塩、黒コショウで調える。

トマト缶と固形スープの素で、
かんたんなのにコクうま。

レンチンした後、ラップをとらずにしばらくおくのがコツ。

レンジかぼちゃ煮

材料（2人分）

かぼちゃ…1/8個
しょうゆ…大さじ1
砂糖…大さじ1/2
水…50cc

作り方

1 かぼちゃは種をとり、一口大に切る。
2 耐熱容器にかぼちゃを入れ、しょうゆ、砂糖、水を加えて混ぜ、ラップをかけてレンジ（500w）で6分加熱する。
3 ラップをとらずに、粗熱がとれるまでおく。

なめたけおろし和え

材料（1人分）

大根おろし…1カップ
なめたけ瓶詰…大さじ4
もみのり…1枚分

作り方

1 大根おろしはざるに入れて水気をかるくきる。
2 大根おろし、なめたけ、もみのりを和える。

鬼おろしがおススメ。もちろんふつうの大根おろしでもOK。

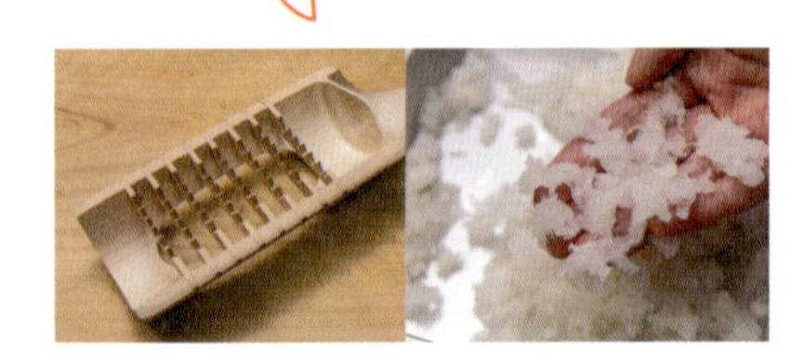

おろし大根と塩鮭の和えもの

材料（2人分）

大根おろし…1カップ
塩鮭…1切れ
万能ネギ（あれば）…2本
ポン酢…適量

作り方

1. 塩鮭は焼いて皮と骨をとり、粗くほぐす。万能ネギは小口切りにする。
2. 大根おろしの水気をかるくきり、塩鮭と万能ネギを和える。
3. ポン酢をかける。

塩鮭の代わりに
アジの干物を使っても
おいしい。

辛みの少ない冬の大根で。
お酒のあてにも
ぴったりの一皿。

おろし大根と厚揚げのさっと煮

材料（2人分）

大根おろし…1.5カップ
厚揚げ…小2枚（1パック）
三つ葉…5本
めんつゆ（3倍濃縮タイプ）
…大さじ2.5

作り方

1. 厚揚げは一口大に切る。三つ葉はざく切りにする。
2. 鍋に厚揚げと水気をきらない大根おろしを入れて中火にかける。
3. 厚揚げがあたたまったら、めんつゆと三つ葉を加え、ひと煮する。

火を使わずにできるお手軽な副菜。

おろし大根とちくわのゆずこしょう和え

材料（1人分）

大根おろし…1/2カップ
ちくわ…2本
大葉…2枚
ゆずコショウ…少々
しょうゆ…適量

作り方

1 ちくわは縦半分に切ってから3㎝くらいに、大葉は食べやすい大きさにちぎる。

2 かるく水をきった大根おろし、ちくわ、大葉を和える。

3 しょうゆをかけ、ゆずコショウを添える。

大根と生ハムのマリネ

材料（2人分）

大根…8cm（250g程度）
大根の葉…少々
生ハム…6枚
オリーブオイル…大さじ2
レモン汁…大さじ1
塩…小さじ1/2
黒コショウ…適量

作り方

1 大根は皮をむき、できるだけ薄いいちょう切りにする（スライサーを使うとラク）。生ハムは食べやすい大きさにちぎる。大根の葉は小口切りにする。

2 大根と大根の葉に塩をふり、しんなりしたら水気を絞る。

3 大根、生ハム、オリーブオイル、レモン汁を混ぜ、器に盛って黒コショウをふる。

焼きかぶのオリーブオイルかけ

かぶは葉をつけておくと、
長持ちしないので、
買って来たらすぐ切り離して。
皮はきんぴらにして、もう一品に。

レンジかぶと鮭フレークのめんつゆかけ

焼きかぶのオリーブオイルかけ

材料（2人分）

かぶ…2個
かぶの葉…2本
オリーブオイル、塩、黒コショウ…適量

作り方

1 かぶは、実をくし形に、葉を3～4cmに切る。
2 焼き皿にかぶと葉を入れ、オーブントースター（1000w）で12～15分焼く。
3 焼きあがったら、オリーブオイルを回しかけ、塩、黒コショウをふる。

レンジかぶと鮭フレークのめんつゆかけ

材料（2人分）

かぶ…4個
かぶの葉…1本
鮭フレーク…大さじ4
めんつゆ（3倍濃縮タイプ）
…大さじ1.5
ゴマ油…大さじ1

作り方

1 かぶは厚めに皮をむき、一口大に切る。葉は2cmに切る。
2 かぶと葉を耐熱容器に入れてラップをかけ、レンジ（500w）で4分加熱する。
3 かぶと葉、鮭フレークを和え、めんつゆとゴマ油をかける。

かぶの皮でもう1品！

かぶの皮はきんぴらにすると、おいしいもう一品に。お酒もご飯もすすみます。ゴマ油でかぶの皮を炒め、しんなりしたらめんつゆ（3倍濃縮タイプ）で味付けします。

かぶのゆかりもみ

材料（2人分）
かぶ…2個
ゆかりの粉…小さじ2
塩…小さじ1/4

作り方
1 かぶは皮をむかず、薄い半月に切る。
2 ボウルにかぶとゆかりの粉、塩を入れ、しんなりするまでもむ。水分が出たらかるく絞る。

ごく薄く切るので、
皮はそのままでOK。

かぶとみかんのサラダ

かぶのやわらかさと
みかんの甘みがマッチ。

材料（2人分）

かぶ…4個
みかん…1個

<ドレッシング>
酢…大さじ2
砂糖…大さじ1
オリーブオイル…大さじ1
塩…小さじ1/4

黒コショウ…少々

これにチェンジ
みかん→
グレープフルーツ、焼き塩鮭

作り方

1 かぶは皮をむかずに薄い半月に切り、塩小さじ1/2（分量外）をふってかるくもみ、しんなりしたら水気を絞る。
2 みかんは皮をむいて薄皮をとる。
3 ドレッシングの材料を混ぜて、かぶとみかんを和え、器に盛って黒コショウをふる。

もやしナムル

材料（2人分）

もやし…1袋

<調味料>
ニンニクすりおろし
…小さじ1/4
ゴマ油…小さじ2
顆粒鶏スープの素
…ふたつまみ
塩…ふたつまみ
黒コショウ…少々

白炒りゴマ…少々

作り方

1 もやしは気になるようなら、ひげ根をとる。

2 耐熱容器に入れてラップをかけ、レンジ（500w）で4分加熱する。

3 熱いうちに調味料を混ぜ、器に盛って白ゴマをふる。

ナムル卵焼き

材料（2人分）

もやしナムル…適量
卵…4個
塩、黒コショウ…少々
ゴマ油…大さじ1
コチュジャン（あれば）…少々

作り方

1. 卵を割りほぐし、塩、黒コショウを混ぜる。
2. フライパンにゴマ油を中火で熱し、ナムルがあたたまるまで炒める。
3. 強火にして卵を流し入れ、半熟になるまで大きくかき混ぜる。
4. そのまま片面に焦げ目がつくまで焼き、裏返して両面焼く。
5. 食べやすい大きさに切り、あればコチュジャンを添える。

もやしのビビンパ

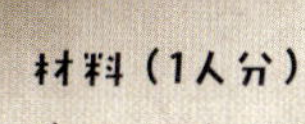

材料（1人分）

もやしナムル…適量
ご飯…茶碗1杯分
万能ネギ小口切り
　…大さじ1
白炒りゴマ…少々
コチュジャン…小さじ2

作り方

1. 茶碗にご飯を盛り、もやしナムルをたっぷりのせる。
2. 万能ネギの小口切りを散らし、白ゴマをふる。
3. コチュジャンを添え、よく混ぜて食べる。

もやし

もやしのオイスターソース炒め

材料（2人分）

もやし…1袋
ショウガせん切り…10g
ニンニクせん切り…1/2片分
小麦粉…大さじ1
ゴマ油…大さじ1
しょうゆ…小さじ2
オイスターソース…小さじ1
黒コショウ…少々

＋これを加えても！
豚薄切り肉

作り方

1 もやしは気になるようならひげ根をとり、小麦粉をまぶす。

2 フライパンを中火で熱し、ゴマ油でショウガ、ニンニク、もやしを3分ほど炒める。

3 しょうゆ、オイスターソースを加えて炒め、器に盛って黒コショウをふる。

小麦粉をまぶしてから
炒めるのが、
おいしさのポイント。

もやしのカレーサラダ

もやしはレンチンしておくと、
1週間は日持ちするので、
まとめ買いもOK。

材料（2人分）
もやし…1袋
万能ネギ…4本
ハム…4枚

<ドレッシング>
酢…大さじ1.5
しょうゆ…大さじ1.5
砂糖…小さじ1.5
ゴマ油…大さじ1
カレー粉…小さじ1

黒コショウ…少々

作り方

1 もやしは気になるようならひげ根をとる。耐熱容器に入れてラップをかけ、レンジ（500w）で3分加熱する。

2 万能ネギは2㎝に、ハムは1㎝幅に切る。ドレッシングの材料を混ぜておく。

3 もやし、万能ネギ、ハムをドレッシングで和える。器に盛り、黒コショウをふる。

いんげんの塩ゆで オリーブオイルかけ

材料（2人分）

いんげん…10本（80g程度）
オリーブオイル…小さじ2
塩、黒コショウ…各少々

作り方

1 いんげんはなり口を切り落とし、塩ゆでにする。
2 ゆであがったらすぐ冷水にとり、半分に切る。
3 器に盛り、オリーブオイル、塩、黒コショウをかける。

ゆであがったら
冷水にとって、色鮮やかに。

いんげんの塩ゆでがあれば
こんなにいろいろ作れます。

ラー油マヨ和え

材料（2人分）
いんげんの塩ゆで…80g
マヨネーズ…大さじ1.5
食べるラー油…小さじ1

作り方
1 塩ゆでにしたいんげんを食べやすい大きさに切る。
2 マヨネーズ、ラー油で和える。

しょっつる和え

材料（2人分）
いんげんの塩ゆで…80g
レンチン鶏むね肉…1/2枚
しょっつる…小さじ1
レモン汁…小さじ1

作り方
1 塩ゆでにしたいんげんを食べやすい大きさに切る。鶏むね肉は細かく手で裂く。
2 いんげんと鶏むね肉をしょっつるとレモン汁で和える。

レンチン鶏むね肉
鶏むね肉1枚（250ｇ）を耐熱容器に入れ、ふたかラップをしてレンジ（500ｗ）で3分ほど加熱する。ふたをとらずにそのまま粗熱がとれるまでおく。

いんげんとベーコンのスープ煮

いんげんは
くたくたに煮るとおいしい。

材料（2人分）

いんげん…100g
タマネギ…1/2個
ベーコン…3枚
サラダ油…小さじ2
固形スープの素…1個
水…300cc
塩、黒コショウ
　…各少々

作り方

1. いんげんはなり口を切り落とし、半分に切る。タマネギは1cm幅に切ってほぐす。ベーコンは3cm幅に切る。
2. 鍋にサラダ油、いんげん、タマネギを入れ、中火で焦がさないように2分ほど炒める。
3. ベーコン、水、固形スープの素を入れ、煮立ったら弱火にしていんげんがやわらかくなるまで15分ほど煮る。
4. 味をみて、塩、黒コショウで調える。

いんげん

いんげんと油揚げの煮びたし

お砂糖やみりんを加えず、
いんげんの甘みと
旨味を味わう。

材料（2人分）

いんげん…100g
油揚げ…2枚
だし汁…2カップ
薄口しょうゆ…大さじ2
（無ければ濃い口でも）

これにチェンジ
油揚げ→
豚薄切り肉、さつま揚げ

作り方

1 いんげんはなり口を切り落とし、半分に切る。
2 油揚げは1枚を4等分に切る。
3 鍋にすべての材料を入れ、いんげんがくたくたになるまで弱火で煮る。

セロリ

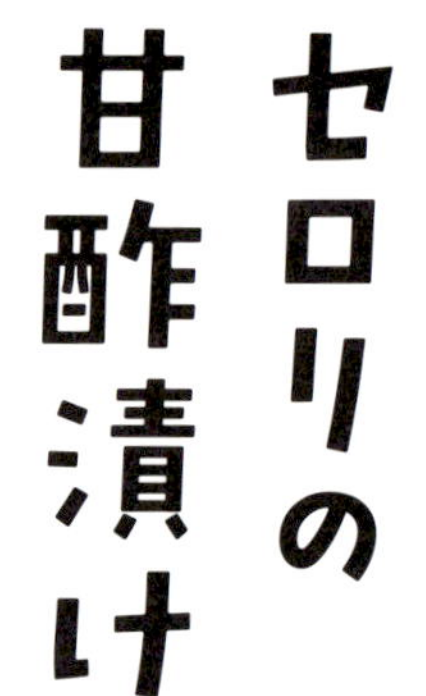

セロリの甘酢漬け

甘酢を覚えておくと、
いろいろ使えて便利。
そのままで酢の物に。
塩をしょうゆに代えると
南蛮漬けに。

材料（作りやすい分量）

セロリ…2本

＜甘酢＞
穀物酢…1/2カップ
水…1/2カップ
砂糖…大さじ3
塩…小さじ1/2

黒コショウ…少々

作り方

1 セロリは3㎝くらいの棒状に切る。
2 保存容器に甘酢の材料を入れて混ぜ、セロリを加え、一日おく。
3 器に盛り、黒コショウをふる。

＋これを加えても！
漬けるときに、好みでローリエや粒コショウを加えると、ピクルス風の香りに。

セロリとわかめの酢の物

72ページの甘酢を使って、すぐに食べられる酢の物に。

材料（2人分）

セロリ…1/2本
乾燥わかめ…5g
甘酢（72ページ参照）…50cc
ショウガせん切り…少々

作り方

1 セロリは短冊に切る。わかめは水で戻しておく。

2 わかめの水気を絞り、セロリ、ショウガと甘酢で和える。

セロリ

セロリの葉の塩炒め

材料（2人分）

セロリの葉と細い茎…2本分
乾燥サクラエビ…5g
ニンニクせん切り…1/2片分
ゴマ油…小さじ2
顆粒鶏スープの素…1つまみ
塩、黒コショウ…各少々

作り方

1 セロリの葉と細い茎は、ざく切りにする。

2 フライパンにゴマ油を中火で熱し、セロリとニンニクをしんなりするまで2～3分炒める。

3 サクラエビ、顆粒鶏スープの素、塩、黒コショウを加え、炒め合わせる。

セロリの葉は捨てないで、炒めものに！

セロリのオリーブオイルマリネ

炒めて作るので
味がよくしみる!

材料(2人分)

セロリ…1本
ニンニク薄切り…3枚
赤唐辛子輪切り…少々
オリーブオイル…大さじ1
レモン汁…大さじ1
塩、黒コショウ…各少々

作り方

1 セロリは5㎜の厚さの斜め薄切りにする。
2 フライパンにオリーブオイルを中火で熱し、セロリ、ニンニク、赤唐辛子の輪切りを焦がさないように1分ほど炒める。
3 塩、黒コショウをふり、レモン汁をかけて火を止める。

炒めるときは
プチトマトでも
半分に切った方が、
味がなじんでおいしい。

プチトマトと粒コーンのバターソテー

材料（2人分）

プチトマト…10個
粒コーン…中1缶（150g）
バター…大さじ1
塩…小さじ1/4
黒コショウ…少々

作り方

1. プチトマトはへたをとり、半分に切る。粒コーンは余分な水分をきる。
2. フライパンを中火で熱し、バターと粒コーンを入れ、水気がなくなり少し焦げ目がつくまで炒める。
3. プチトマトを入れて炒め、塩、黒コショウで調味する。

豚肉は、
必ずしゃぶしゃぶ用の
ごく薄いものを。

プチトマト豚肉巻き焼き

材料（2人分）
プチトマト…8個
豚肉（しゃぶしゃぶ用薄切り肉）…8枚
塩、黒コショウ…各少々

作り方

1 プチトマトはへたをとり、豚肉をぐるぐる巻いてから手の上で転がして丸める。

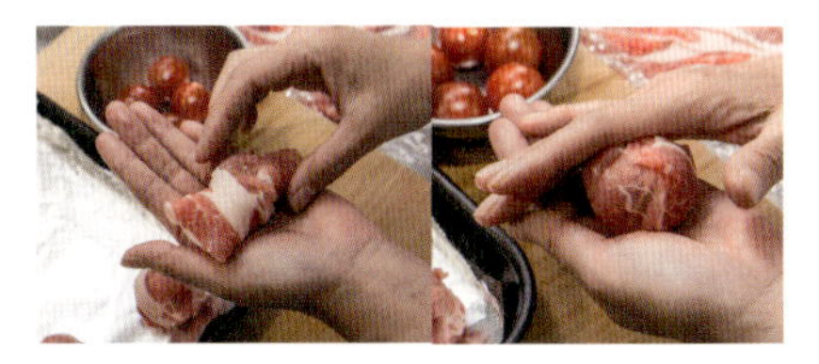

2 塩、黒コショウをふって、オーブントースター（1000w）で焦げ目がつくまで10分くらい焼く。

トマト甘酢和え

トマト

材料（2人分）

トマト…1個
大葉…4枚

＜甘酢＞
酢…大さじ2
砂糖…小さじ2
塩…小さじ1/3

作り方

1. トマトはへたをとり、くし形に切る。大葉はせん切りにする。
2. 甘酢の材料を混ぜてトマトを加え、冷蔵庫に入れて5分おく。
3. 器に盛り、大葉をのせる。

和えてすぐ食べても
大丈夫だけど
少しおくと味がしみておいしい。

トマト

プチトマトとウインナーのカレー炒め

カレー粉は、冷凍庫で保存しておくと香りが長持ち。

材料（2人分）
プチトマト…大きめ6個
ウインナーソーセージ…4本
タマネギ…1/4個
バター…小さじ2
しょうゆ…小さじ2
カレー粉…小さじ1
黒コショウ…少々

これにチェンジ
ウインナー→
ひき肉、ハム、ベーコン

作り方
1 プチトマトはへたをとり、4つ割りにする。ウインナーソーセージは斜め切り、タマネギは薄切りにする。
2 フライパンにバターを中火で熱し、タマネギがしんなりするまで炒める。
3 ウインナーソーセージ、プチトマトを加え、カレー粉を入れて炒め合わせる。
4 ウインナーソーセージにやや焦げ目がついたら、しょうゆを加えて火を止める。
5 器に盛って黒コショウをふる。

ブロッコリー

マカロニブロッコリー

マカロニは
やわらかくゆでてね。

材料（2人分）

ブロッコリー…1/2株
マカロニ…80g
ニンニクみじん切り…2かけ分
アンチョビ…2切れ
オリーブオイル…大さじ2
塩…小さじ1/2
コショウ…少々
粉チーズ…大さじ2～3

作り方

1 マカロニは1パーセントの塩を加えた熱湯で、少しやわらかめにゆでる。
2 ブロッコリーはみじん切りにする。
3 フライパンに、ニンニク、オリーブオイルを入れて弱火にかけ、香りが立ったらブロッコリーを入れて焦がさないように炒める。
4 水1/2カップを入れ、中火にしてふたをし、水けがなくなるまで4分ほど火を通す。
5 アンチョビを加えてつぶしながら炒め、マカロニを加えて混ぜ、塩コショウをふる。
6 器に盛り粉チーズをふる。

ブロッコリーとハムのカッテージチーズサラダ

カッテージチーズのおいしさに気づく一皿。

材料（2人分）

ブロッコリー…1株
ハム…3枚
玉ねぎみじん切り…大さじ2
マヨネーズ…大さじ2
カッテージチーズ…1/3カップ
塩…小さじ1/2
コショウ…少々

作り方

1 ブロッコリーは一口大の小房に切り分け、ハムは1.5㎝角に切る。
2 玉ねぎみじん切りとマヨネーズを混ぜ10分以上おく。
3 ブロッコリーは好みのかたさにゆで、冷水にとって水気をきる。
4 材料を全部よく混ぜ合わせる。

アスパラガス

蒸し焼きアスパラの目玉焼きのせ

卵、マスタード、オイルと塩。
混ぜて食べたら
マヨネーズ風味！

材料（2人分）

グリーンアスパラ…6本
卵…1個
マスタード…小さじ2
塩、コショウ…各適量
オリーブオイル…大さじ1

作り方

1 グリーンアスパラは根元の堅いところを切り落とし、4cmくらいに切る。
2 卵は黄身が半生の目玉焼きにする。
3 フライパンに、アスパラと水大さじ4を入れてふたをし、中火で2～3分、水気がなくなるまで蒸し焼きにする。
4 器にアスパラ、目玉焼き、塩、コショウ、マスタードをのせ、オリーブオイルを全体にかける。
5 食べるときは目玉焼きを崩し、よく混ぜてからいただく。

アスパラとベーコンのパン粉焼き

あつあつ、サクサク。焼くだけでできます。

材料（2人分）

グリーンアスパラ…6本
ベーコン…1枚
マヨネーズ…大さじ2
パン粉…2/3カップ
粉チーズ…大さじ1
コショウ…少々
オリーブオイル…大さじ1.5

作り方

1 グリーンアスパラは根元の堅いところを切り落とし、半分の長さに切る。ベーコンは5mm幅に切る。

2 アスパラにマヨネーズを手でまぶしつけ、パン粉をまぶす。

3 焼き皿に2を入れ、粉チーズ、ベーコンをのせてオリーブオイルをかける。

4 オーブントースターで焦げ目がつくまで12分～15分くらい焼き、好みでコショウをふる。

コラム2

豆腐&納豆は強〜い味方。

崩し薬味豆腐

豆腐や納豆は、冷蔵庫にあると頼りになる強〜い味方。ここで紹介する「薬味じょうゆ」は、そうめんやうどんを食べるときにも大活躍。

薬味じょうゆ

材料（作りやすい分量）

長ネギ…15cm
セロリ…15cm
ミョウガ…1個
キュウリ…1/2本
大葉…5枚
ショウガ…1/2片
しょうゆ…適量

作り方

1 材料をすべて5mm角に切る。
2 切った野菜を容器に入れ、野菜の高さの半分くらいまでしょうゆを注ぐ。
3 しょうゆがひたひたになるまで、3時間くらいおく。保存期間は冷蔵庫で1か月程度。

崩し薬味豆腐

材料（2人分）

豆腐…1丁
薬味じょうゆ…適量
かつお節…適量

作り方

1 豆腐は紙タオルにのせて、5分ほどおく。
2 豆腐を手で一口大にちぎって器に盛る。
3 かつお節と薬味じょうゆをかけ、好みでオリーブオイルやゴマ油をたらす。

長芋納豆

材料（2人分）

納豆…小1パック
長芋…10cm
しょうゆ…適量
わさび…少々

作り方

1 長芋はポリ袋に入れて叩いてつぶすか、せん切りにする（せん切りスライサーでもOK）。
2 長芋と納豆を器に盛り、わさびを添える。
3 しょうゆをかけて混ぜていただく。

タマネギ納豆

タマネギマヨネーズだけ
ごはんにかけてもおいしい。

材料（1人分）

納豆…小1パック
タマネギマヨネーズ（119ページ参照）…大さじ1
しょうゆ…小さじ1

作り方

1 納豆とタマネギマヨネーズを盛り合わせる。
2 しょうゆをかけ、混ぜていただく。

きのこ

しいたけレンジシューマイ

包まない、
蒸さないシューマイだから、
とっても楽ちん。

材料（2人分）

シイタケ…小さめ6個
豚ひき肉…60g
タマネギみじん切り…大さじ3
小麦粉…小さじ2
塩、黒コショウ…少々
ゴマ油…少々
練りからし、しょうゆ…適量

作り方

1 シイタケは軸をとる。シイタケ、からし、しょうゆ以外の材料をよく混ぜる。

2 シイタケの内側にタネを詰める。耐熱容器に並べてラップをかけ、レンジ（500w）で4分加熱する。

3 からしじょうゆでいただく。

きのこ

エノキバターしょうゆ炒め

材料（2人分）

エノキダケ…大1パック（200g）
万能ネギ…2本
バター…小さじ2
しょうゆ…小さじ2
黒コショウ…少々

作り方

1 エノキダケは石づきをとり、半分の長さに切ってほぐす。万能ネギは3㎝に切る。

2 フライパンにバターを中火で溶かし、エノキダケをしんなりするまで炒める。

3 しょうゆで調味し、火を止めて万能ネギを加える。器に盛り、黒コショウをふる。

エノキは旨味がたっぷりなので、
味付けはしょうゆだけで。
お好みでカレー粉を入れてもOK。

きのこ

エリンギのガーリックオリーブオイルソテー

材料（2人分）

エリンギ…4本
ニンニク…1片
オリーブオイル
…大さじ2
しょうゆ、黒コショウ
…各少々

作り方

1 エリンギは縦に薄切りに、ニンニクは薄切りにする。

2 フライパンにオリーブオイルとニンニクを入れて弱火にかけ、ニンニクに色がついたら取り出す。

3 エリンギを入れ、やや焦げ目がついてやわらかくなるまでじっくり焼いたらニンニクを戻し、しょうゆを回しかける。

4 器に盛り、黒コショウをふる。

炒めはじめに吸った油は、
火が通るとしみ出てくるので、
油が出てくるまでじっくり焼こう。

シメジと油揚げの卵とじ

シメジはすぐ火が通るので、
短時間で完成。
ご飯にのせて
どんぶりにしても。

材料（2人分）

シメジ…1パック（100g）
油揚げ…1枚
卵…2個
だし汁…1カップ
しょうゆ…大さじ1
砂糖…小さじ1
三つ葉（あれば）…少々

作り方

1. シメジは石づきをとってほぐす。油揚げは短冊に切る。卵は割りほぐす。
2. 小鍋にだし汁、シメジ、油揚げ、しょうゆ、砂糖を入れて2分くらい煮る。
3. 溶き卵を回しかけ、あれば三つ葉を散らし、卵が好みの煮え具合になるまで、ふたをして煮る。

油揚げと青菜の炒め煮

材料（2人分）

小松菜…1/2把
油揚げ…1枚
ショウガせん切り…5g
ゴマ油…大さじ1
顆粒鶏スープの素
…小さじ1/2
塩、黒コショウ…各少々

これにチェンジ
小松菜→
ほうれん草、チンゲン菜

作り方

1 小松菜は根元を切り落とし、3cmに切る。油揚げは8等分に切る。
2 フライパンにゴマ油を中火で熱し、小松菜、ショウガをしんなりするまで炒める。
3 油揚げと水100cc（分量外）を入れて煮立て、1分強火で煮て水を捨てる。
4 顆粒鶏スープの素、塩、黒コショウで調味する。

炒める＆煮るで、
イイとこ取りのおいしさ。

油揚げのひき肉巻き煮

お揚げに煮汁が
じゅわっとしみてる。

材料（2人分）

油揚げ…2枚
＜ひき肉ダネ＞
鶏ももひき肉…150g
長ネギみじん切り
…10㎝分
小麦粉…大さじ1
水…大さじ1
＜煮汁＞
水…400cc
しょうゆ…大さじ2
砂糖…大さじ1

作り方

1 油揚げはペーパータオルに挟んで強く押し、余分な油をとる。ボウルにタネの材料を入れ、粘り気が出るまでよく混ぜる。

2 油揚げを縦に置き、奥3㎝くらいを残してタネをのせ、手前から巻く。巻き終わりを楊枝で留める。

3 2個がちょうど入るような小さな鍋に入れ、煮汁の材料を入れて強火で煮立てる。

4 煮立ったら中火にし、落としぶたをして、煮汁が鍋底から3㎝くらいになるまで煮る。

5 具の上下を返し、落としぶたをせずに煮汁が少し残るくらい（1㎝）まで煮る。

6 火を止め、ふたをしてそのまま5分おき、煮汁を吸わせる。食べやすく切って器に盛る。

缶詰

味つけサバ缶のチーズドリア

材料（2人分）

サバの缶詰（しょうゆ味）…1缶
タマネギ…1/4個
ご飯…1膳分
ピザ用チーズ…40g

作り方

1 サバ缶は中身をほぐしておく。タマネギは薄切りにする。
2 焼き皿にご飯を入れ、ほぐしたサバ、タマネギをのせ、サバ缶の汁を適量回しかける。
3 チーズをのせ、焦げ目がつくまでオーブントースター（1000W）で焼く。

サバ缶に味がついてるから、調味料は不要！

サバ缶キムチ

サバ缶&キムチは
最強の組み合わせ。

材料(2人分)

サバの缶詰(水煮)
…1缶
白菜キムチ…100g
万能ネギ…2本
ゴマ油…小さじ2

これにチェンジ⇆
サバ缶を豚に代えれば
豚キムチに

作り方

1 サバ缶は中身を粗くほぐす。白菜キムチはざく切りに、万能ネギは斜め切りにする。
2 フライパンにゴマ油を中火で熱し、白菜キムチを炒める。
3 サバ、万能ネギを加え、炒めあわせる。

缶詰

ツナ缶オニオンスライス

タマネギは
たっぷりの水につけると
辛みが早く抜ける！

材料（2人分）

ツナ缶…小1缶
タマネギ…1/2個
卵黄…1個
かつお節、しょうゆ…適量

作り方

1 タマネギは薄切りにして水につけ、透明感が出るまで30分ほどおく。

2 ツナ缶は余分な油をきる。

3 タマネギの水気をきって器に盛り、かつお節、ツナ缶、卵黄をのせ、しょうゆをかけて混ぜて食べる。

イワシ缶トマト炒め

トマトはまわりがくずれるくらいしっかり炒めて、旨味を出す。

材料（2人分）

イワシの缶詰
　（しょうゆ味）…1缶
トマト…1個
タマネギ…1/2個
大葉…5枚
オリーブオイル…小さじ2
イワシの缶詰の汁…大さじ1

作り方

1 トマトはへたをとり、くし形に切る。タマネギは5㎜幅に切り、大葉は手でちぎる。

2 フライパンを中火で熱し、オリーブオイルでタマネギをしんなりするまで炒める。

3 トマトを加え、まわりがくずれ始めたら、イワシと缶の汁と大葉を加えて炒めあわせる。

おつまみ・小鍋・スープ・茶碗ごはん

野菜のおかず以外にも、
おつまみや、汁物、小鍋などの
メニューを覚えておくと、いろいろと便利。
パパッと作れるおつまみは、
家飲みにかかせないですし、

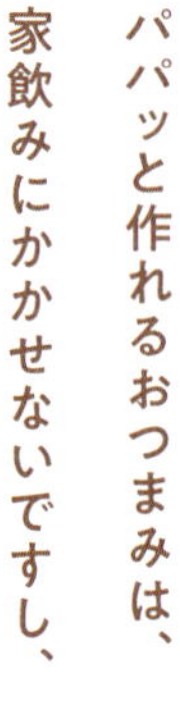

少し疲れた時は、
汁物があるとほっとします。
小鍋なら一人ぶんの食事にぴったり。
ごはんがあれば、
おかず＋汁物がわりになります。
もうひとつ、紹介したかったのが
茶碗ごはん。
丼ではなく、
あくまで茶碗で食べるごはんです。
時間のないときのごはんや
お昼ごはん、飲んだ後の〆にもどうぞ。

おつまみ

かまぼこの梅はさみ

材料（2人分）

かまぼこ…10cm
大葉…3枚
梅干し…2個
かつお節…少々

作り方

1 かまぼこは6等分に切り、真ん中に切れ目を入れる。大葉は半分に切る。
2 梅干しは種をとって刻み、かつお節を混ぜる。
3 かまぼこの切れ目に梅と、大葉を挟む。

ねりウニやわさび漬け、のり＆スライスチーズなど、いろいろなバリエーションを楽しんで。

おつまみ

魚肉ソーセージのマヨサラダ

魚肉ソーセージを使った
なつかしい味。

材料（2人分）

魚肉ソーセージ…2本
キュウリ…1本
タマネギ…1/4個
マヨネーズ…大さじ1.5
塩、黒コショウ…各少々

これにチェンジ
魚肉ソーセージ→
ツナ、ハム

作り方

1 魚肉ソーセージは縦半分に切ってから薄切りに、キュウリは薄い輪切りにする。

2 タマネギは薄切りにして塩小さじ1/4（分量外）をふり、しんなりしたら水気を絞る。

3 材料をすべて混ぜあわせる。

おつまみ

はんぺんうにチーズ焼き

ねりウニが無ければ、
しょうゆをぬって
チーズをのせるだけでもおいしい。

材料（2人分）

はんぺん…大1枚
ねりウニ…小さじ1
スライスチーズ…1枚
黒コショウ…少々

作り方

1 はんぺんにねりウニをぬり、スライスチーズをのせる。

2 オーブントースター（1000w）で焦げ目がつくまで焼き、黒コショウをふって食べやすく切る。

ちくわのマヨネーズ焼き

材料（2人分）

ちくわ…3本
マヨネーズ…適量
しょうゆ、七味唐辛子（好みで）…少々

作り方

1 ちくわは縦半分に切って、穴の部分にマヨネーズをぬる。

2 オーブントースター（1000w）で焦げ目がつくまで焼き、好みでしょうゆと七味唐辛子をかける。

ちくわにマヨネーズをぬって焼いただけ。
レタスと一緒にドッグパンにはさんでも！

おつまみ

焼き厚揚げのショウガじょうゆ

ショウガ焼きの
厚揚げバージョン。
焦げ目がつくまでじっくり焼いて。

材料(2人分)

絹厚揚げ…小2個(1パック)
ショウガすりおろし…小さじ1.5
サラダ油…小さじ1.5
しょうゆ…小さじ2

これにチェンジ
ショウガじょうゆ→
焼き肉のタレ

作り方

1 厚揚げは1.5㎝の厚さに切る。
2 フライパンにサラダ油を中火で熱し、厚揚げの両面に焦げ目がつくように焼く。
3 ショウガ、しょうゆを加え、全体に焼きからめる。

厚揚げのオイスターソース焼き

材料（2人分）

絹厚揚げ…小2個（1パック）
長ネギみじん切り…10㎝分
ショウガすりおろし…小さじ1/3
ニンニクすりおろし…小さじ1/4
サラダ油…大さじ1
しょうゆ…小さじ2
オイスターソース…小さじ1

作り方

1 厚揚げは一口大に切る。
2 フライパンにサラダ油を中火で熱し、厚揚げを焼く。
3 長ネギ、ショウガ、ニンニク、しょうゆ、オイスターソースを加え、炒めあわせる。

厚揚げは中まで火が通ると、内側がやわらかくフルフルに。

コラム3

揚げものもこれならカンタン。

オーブントースターで作る、なんちゃって天ぷらと、素揚げをご紹介。

衣は硬めに！
サラダ油は上からかけて。

レンコンの天ぷら風

材料（2人分）

レンコン…8cm

<衣>
卵黄…1個分
小麦粉…大さじ4
水…大さじ1.5
塩…1つまみ
サラダ油…適量

作り方

1 レンコンは皮をむき、輪切りにする。
2 衣の材料を混ぜ、レンコンにつける。
3 オーブントースターの焼き皿にホイルかオーブンシートを敷き、レンコンをのせる。
4 サラダ油を上から回しかけ、オーブントースター（1000w）で10分焼く。

ちくわの磯辺揚げ風

材料（2人分）

ちくわ…2本

＜衣＞

卵黄…1個分

小麦粉…大さじ4

青のり…大さじ1

水…大さじ1.5

サラダ油…適量

作り方

1 ちくわは縦半分に切る。

2 衣の材料を混ぜ、ちくわにつける。

3 オーブントースターの焼き皿にホイルかオーブンシートを敷き、ちくわをのせる。

4 サラダ油を上から回しかけ、オーブントースター（1000w）で10分焼く。

おつまみの定番。

ワンタンチーズ揚げ

材料（2人分）

ワンタンの皮…8枚
プロセスチーズ…40g
小麦粉…小さじ1
水…小さじ1
揚げ油、塩、黒コショウ…適量

作り方

1 プロセスチーズを棒状に切る。
2 ワンタンの皮で包み、水溶き小麦粉で巻き終わりをとめる。
3 170℃の油でワンタンの皮が色づくまで揚げ、塩、黒コショウをふる。

揚げると縮むから、
のりはきっちり包まなくても
大丈夫！

納豆磯辺揚げ

材料（2人分）

納豆…小1パック
のり…適量
揚げ油…適量
練りからし、しょうゆ…適量

作り方

1 のりを適当な大きさに切り、納豆とからしを少量ずつ包む。

2 170℃の油で、のりがカリッとするまで揚げ、しょうゆをつけていただく。

ごぼうと牛肉の小鍋

ごぼうのささがきは
ピーラーで作ると
かんたん。

材料（1人分）

牛薄切り肉…100g
ごぼう…50g（細いもの1本）
万能ネギ…2本
卵…1個
酒…50cc
しょうゆ…大さじ1
砂糖…大さじ1/2
紅ショウガ（好みで）…少々

これにチェンジ
牛肉→鶏もも肉

作り方

1. ごぼうはピーラーでささがきにする。牛肉はざく切りに、万能ネギは5cmに切る。
2. 小鍋にごぼう、牛肉、酒、しょうゆ、砂糖を入れて煮立てる。
3. ごぼうと牛肉に火が通ったら真ん中に卵を落とし、万能ネギを加える。
4. 好みで紅ショウガを添えていただく。

豚肉とほうれん草の小鍋

材料（1人分）

豚薄切り肉…100g
ほうれん草…1/2把
水、練りからし、しょうゆ…適量

作り方

1 ほうれん草は根元を4つ割りにして洗い、長さを半分に切る。

2 鍋に湯を沸かして具を入れ、煮えたところから、からしじょうゆにつけていただく。

毎日食べても飽きないお鍋。
からしじょうゆでも、
ポン酢でもOK。

油揚げと春菊の小鍋

ささっとできて
ほっとする味。

材料（1人分）

油揚げ…1枚
春菊…1/2把
ショウガせん切り…薄切り3枚分
だし汁…2カップ
薄口しょうゆ…大さじ1.5

＋これを加えても！
ゆずコショウ、七味唐辛子、練りからし

作り方

1 油揚げはペーパータオルに挟んで強く押し、余分な油をとって細長く切る。
2 春菊は根元のかたいところを切り落とし、ザク切りにする。
3 鍋にだし汁、薄口しょうゆ、油揚げ、ショウガを入れて3分煮て春菊を加え、さっと煮る。

長ネギと鶏もも肉の小鍋

材料（1人分）
鶏もも肉
…小さめ1枚
長ネギ…1本
だし汁…1カップ
しょうゆ…大さじ2
砂糖…小さじ2

作り方
1 鶏もも肉は大きめの一口大に切る。長ネギは縦半分に切ってから、4cmに切る。
2 材料をすべて鍋に入れ、7分煮る。

甘辛い味付けなので、
おかずにもおつまみにも。
〆にうどんやご飯を入れても
おいしい。

サバ缶とネギのすまし汁

材料（2人分）

サバの缶詰（水煮）…小1缶
長ネギ…1本
大根…5cm（150g程度）
ショウガせん切り…10g
水…3カップ
薄口しょうゆ…大さじ2

作り方

1 長ネギは斜め薄切りにする。大根は皮をむいて短冊に切る。
2 鍋にすべての材料を入れて中火で煮立てる。
3 ネギと大根がやわらかくなればできあがり。

サバ缶は汁が最高！これを食べたらサバ缶の汁は絶対捨てなくなるはず！

酸辣湯（サンラータン）風の
元気が出るすっぱいスープ。

白菜と卵の中華スープ

材料（2人分）

白菜…1/8株（250g程度）
木綿豆腐…1/4丁
卵…1個
水…3カップ
顆粒鶏スープの素…小さじ1
塩…少々
酢、黒コショウ…適量

作り方

1. 白菜は1㎝幅に、豆腐は短冊に切る。卵は割りほぐす。
2. 鍋に白菜、豆腐、水、顆粒鶏スープの素を入れて煮立てる。
3. 白菜が煮えたら、溶き卵を細く流し入れ、塩で調味する。
4. 器に好みの分量の酢と黒コショウを入れてスープを注ぐ。

スープ

キャベツのコンソメスープ

野菜をしっかり3分
炒めることが
おいしく作るコツ!

+これを加えても!
ベーコン、いんげん

材料(2人分)

キャベツ…小1/4個(200g程度)
タマネギ…1/4個
にんじん…5cm(50g程度)
バター…小さじ2
水…3カップ
固形スープの素…1個
塩、黒コショウ…各少々

作り方

1 キャベツは2cm角、タマネギ、にんじんは1cm角に切る。

2 厚手の鍋に中火でバターを溶かし、キャベツ、タマネギ、にんじんを入れ、3分しっかり炒める。

3 水、固形スープの素を入れ、煮立ってから5分ほど煮て、塩で味を調える。

4 器に盛り、黒コショウをふる。

白菜漬けとプチトマトのスープ

材料（2人分）
白菜漬け…150g
プチトマト…4個
ニンニク薄切り…1/2片分
オリーブオイル…大さじ1
水…3カップ
固形スープの素…1個
塩…少々
粉チーズ、黒コショウ
　（好みで）…適量

これにチェンジ
粉チーズ→スライスチーズ

作り方
1 白菜漬けは2cm幅に切る。プチトマトはへたをとり、半分に切る。
2 鍋にオリーブオイル、ニンニク、白菜漬けを入れ、中火で炒める。
3 水、固形スープの素、プチトマトを入れ、煮立ってから3分ほど煮る。
4 味をみて足りなければ塩で調え、器に盛る。好みで黒コショウや粉チーズを加える。

残っちゃった白菜漬けは
スープに活用。

しらすおろしごはん

しらすはごはんに負けないくらい大盛りで。

材料（1人分）

大根おろし…1/2カップ
ご飯…1膳分
しらす…1/2カップ
レモン、しょうゆ…適量

作り方

1 大根おろしはざるでかるく水気をきる。
2 熱々ご飯にしらす、大根おろしをのせ、レモン汁をしぼる。
3 しょうゆをかけていただく。

ねこめし

材料（1人分）

ご飯…1膳分
かつお節…2g
しょうゆ…小さじ2
タマネギマヨネーズ…大さじ1
万能ネギ小口切り（あれば）
…1本分

作り方

1 ご飯にかつお節としょうゆを混ぜる。
2 茶碗に盛り、タマネギマヨネーズとあれば万能ネギ小口切りをのせる。

タマネギマヨネーズ

タマネギみじん切り1/2カップとマヨネーズ1カップを混ぜ、5分以上おきます。冷蔵庫で2週間保存OK。タルタルソースの代わりに揚げ物にかけてもおいしいよ。

混ぜて食べると
ホントにおいしい。
（ねこは食べられないけど）

茶碗ごはん

明太チーズごはん

材料（1人分）

ご飯…1膳分
バター…小さじ1
スライスチーズ…1枚
明太子…大さじ1
黒コショウ…少々

作り方

1. ご飯にバター、スライスチーズ、明太子をのせる。
2. 黒コショウをふる。

チーズとバターが
溶けるくらい
熱々のご飯を使って。

親子丼のひき肉バージョン。
茶碗でかるく食べるなら、
すぐ煮えるひき肉がぴったり。

鶏ひき肉の親子煮ごはん

材料（1人分）

鶏ももひき肉…50g
卵…1個
三つ葉（あれば）…少々
ご飯…1膳分
<煮汁>
水…80cc
しょうゆ…小さじ2
砂糖…小さじ1

作り方

1 小鍋に煮汁の材料とひき肉を入れ、ひと煮する。
2 あれば三つ葉をざく切りにして加え、割りほぐした卵を流し入れる。
3 卵が好みの煮え具合になったら、茶碗に盛ったご飯の上にのせる。

ショウガそぼろごはん

材料（作りやすい分量）

＜ショウガそぼろ＞
鶏ももひき肉…200g
ショウガみじん切り…15g
しょうゆ…大さじ4

ご飯…1膳分
万能ネギ小口切り…2本分

作り方

1 耐熱容器にショウガそぼろの材料を全部入れ、よく混ぜる。

材料をしっかり混ぜる。　真ん中は火が通りにくいので、あけておく。

2 ふた（ラップでもよい）をして、レンジ（500w）で3分加熱する。

3 全体を混ぜてすぐにふた（ラップ）をし、余熱で火をとおす。

4 ご飯にショウガそぼろを適量のせ、万能ネギ小口切りを散らす。

ショウガをたっぷり入れて、
味つけはしょうゆだけ。
鍋で作るよりもレンチンの方が
やわらかい仕上がりに。

たぬきそばのご飯バージョン。
天かすのサクサク感がなんとも。

たぬきごはん

材料（1人分）

ご飯…1膳分
長ネギみじん切り…大さじ2
天かす…大さじ2
めんつゆ（3倍濃縮タイプ）…小さじ2
七味唐辛子（好みで）…少々

作り方

1 熱々のご飯に長ネギ、天かす、めんつゆを混ぜる。

2 好みで七味唐辛子をふっていただく。

素材別さくいん

野菜・いも・きのこ

【アスパラガス】
蒸し焼きアスパラの目玉焼きのせ…82
アスパラとベーコンのパン粉焼き…83

【いんげん】
いんげんの塩ゆでオリーブオイルかけ…68
ラー油マヨ和え…69
しょっつる和え…69
いんげんとベーコンのスープ煮…70
いんげんと油揚げの煮びたし…71

【かぶ】
焼きかぶのオリーブオイルかけ…60
レンジかぶと鮭フレークのめんつゆかけ…60
かぶのゆかりもみ…62
かぶとみかんのサラダ…63

【かぼちゃ】
かぼちゃのガーリック炒め…52
かぼちゃとカッテージチーズのサラダ…53
かぼちゃのトマト煮…54
レンジかぼちゃ煮…55

【きのこ】
しいたけレンジシューマイ…88
エノキバターしょうゆ炒め…89
エリンギのガーリックオリーブオイルソテー…90
シメジと油揚げの卵とじ…91

【キャベツ】
レンチンキャベツのサラダ…10
キャベツとひき肉のみそ炒め…11
キャベツと塩昆布炒め…12
キャベツのおでん風…13
キャベツのコンソメスープ…116

【キュウリ】
魚肉ソーセージのマヨサラダ…101
薬味じょうゆ…85

【ごぼう】
ごぼうと牛肉の小鍋…110

【小松菜】
青菜のオリーブオイルサラダ…20
小松菜とちくわのからし和え…21
小松菜の卵炒め…22
油揚げと青菜の炒め煮…92

【じゃがいも】
すりおろしじゃがいものチヂミ…35
薄切りじゃがいものバターガレット…40
たくあん入りポテサラ…41
レンチンじゃがいもと缶ミートソースのグラタン…42
じゃがいもの塩酢炒め…43

【春菊】
春菊と豚肉のゴマ和え…21
油揚げと春菊の小鍋…112

【セロリ】
セロリの甘酢漬け…72
セロリとわかめの酢の物…73
セロリの葉の塩炒め…74
セロリのオリーブオイルマリネ…75
薬味じょうゆ…85

【大根】
なめたけおろし和え…56
おろし大根と塩鮭の和えもの…57
おろし大根と厚揚げのさっと煮…57
おろし大根とちくわのゆずこしょう和え…58
大根と生ハムのマリネ…59
サバ缶とネギのすまし汁…114
しらすおろしごはん…118

【タマネギ】
タマネギの南蛮漬け…24
タマネギとウインナーのケチャップしょうゆ炒め…25

タマネギと油揚げの甘辛炒め…26
たっぷりタマネギの油揚げ包み焼き…27
かぼちゃのトマト煮…54
いんげんとベーコンのスープ煮…70
プチトマトとウインナーのカレー炒め…79
味つけサバ缶のチーズドリア…94
ツナ缶オニオンスライス…96
イワシ缶トマト炒め…97
タマネギ納豆…87
魚肉ソーセージのマヨサラダ…101
キャベツのコンソメスープ…116

【トマト】
プチトマトと粒コーンのバターソテー…76
プチトマト豚肉巻き焼き…77
トマト甘酢和え…78
プチトマトとウインナーのカレー炒め…79
イワシ缶トマト炒め…97
白菜漬けとプチトマトのスープ…117

【長芋】
長芋おかかなめたけ…44
長芋ポテサラ…45
とろろとウインナーのチーズ焼き…46
長芋の明太子和え…46
長芋納豆…86

【長ネギ】
長ネギのバター焼き…28
厚揚げのネギみそ焼き…29
ネギ卵焼き…30
ネギ塩…31
刺身とネギ塩の和えもの…31
薬味じょうゆ…85
長ネギと鶏もも肉の小鍋…113
サバ缶とネギのすまし汁…114

【ニラ】
ニラ玉マヨ炒め…23
ニラチヂミ…33

【にんじん】
せん切りにんじんのかき揚げ風チヂミ…34
にんじんタラコ炒め…36
にんじんと厚揚げの白和え…37
にんじんと厚揚げの甘辛炒め…38
にんじんヨーグルトサラダ…39
キャベツのコンソメスープ…116

【白菜】
白菜の塩もみゆず風味…14
白菜と油揚げの煮びたし…15
白菜漬けともやしの炒めもの…16
白菜チーズオムレツ…17
白菜と卵の中華スープ…115

白菜漬けとプチトマトのスープ…117

【万能ネギ】
ひじきチヂミ…32
長芋ポテサラ…45
もやしのカレーサラダ…67
エノキバターしょうゆ炒め…89
サバ缶キムチ…95
ごぼうと牛肉の小鍋…110

【ブロッコリー】
マカロニブロッコリー…80
ブロッコリーとハムのカッテージチーズサラダ…81

【ほうれん草】
ほうれん草のおひたし…18
ほうれん草とコーンのバター炒め…19
豚肉とほうれん草の小鍋…111

【もやし】
白菜漬けともやしの炒めもの…16
もやしナムル…64
ナムル卵焼き…65
もやしのビビンパ…65
もやしのオイスターソース炒め…66
もやしのカレーサラダ…67

【レンコン】
すりおろしレンコンのチヂミ…33
レンコンきんぴら…48
レンコン明太バター…49
レンコンのカレーしょうゆ炒め…50
すりゴマ酢レンコン…51
レンコンの天ぷら風…106

肉・肉加工品

【豚肉】
キャベツとひき肉のみそ炒め…11
春菊と豚肉のゴマ和え…21
じゃがいもの塩酢炒め…43
レンコンきんぴら…48
レンコンのカレーしょうゆ炒め…50
プチトマト豚肉巻き焼き…77
しいたけレンジシューマイ…88
豚肉とほうれん草の小鍋…111

【牛肉】
ごぼうと牛肉の小鍋…110

【鶏肉】
しょっつる和え…69
油揚げのひき肉巻き煮…93
長ネギと鶏もも肉の小鍋…113
鶏ひき肉の親子煮ごはん…121
ショウガそぼろごはん…122

【肉加工品】
タマネギとウインナーのケチャップしょうゆ炒め（ウインナーソーセージ）…25
とろろとウインナーのチーズ焼き（ウインナーソーセージ）…46
プチトマトとウインナーのカレー炒め（ウインナーソーセージ）…79
大根と生ハムのマリネ（生ハム）…59
青菜のオリーブオイルサラダ（ハム）…20
にんじんヨーグルトサラダ（ハム）…39
長芋ポテサラ（ハム）…45
かぼちゃとカッテージチーズのサラダ（ハム）…53
もやしのカレーサラダ（ハム）…67
ブロッコリーとハムのカッテージチーズサラダ（ハム）…81
いんげんとベーコンのスープ煮（ベーコン）…70
アスパラとベーコンのパン粉焼き（ベーコン）…83

魚介・魚加工品

かまぼこの梅はさみ（かまぼこ）…100
魚肉ソーセージのマヨサラダ（魚肉ソーセージ）…101
ニラチヂミ（サクラエビ）…33
セロリの葉の塩炒め（サクラエビ）…74
レンジかぶと鮭フレークのめんつゆかけ（鮭フレーク）…60
おろし大根と塩鮭の和えもの（塩鮭）…57
しらすおろしごはん（しらす）…118
刺身とネギ塩の和えもの（白身魚刺身）…31
にんじんタラコ炒め（タラコ）…36
小松菜とちくわのからし和え（ちくわ）…21
おろし大根とちくわのゆずこしょう和え（ちくわ）…58
ちくわの磯辺揚げ風（ちくわ）…107
ちくわのマヨネーズ焼き（ちくわ）…103
はんぺんうにチーズ焼き（はんぺん）…102
長芋の明太子和え（明太子）…46
レンコン明太バター（明太子）…49
明太チーズごはん（明太子）…120

卵・乳製品

【卵】
白菜漬けともやしの炒めもの…16
白菜チーズオムレツ…17
小松菜の卵炒め…22
ニラ玉マヨ炒め…23
ネギ卵焼き…30
ひじきチヂミ…32
せん切りにんじんのかき揚げ風チヂミ…34
ナムル卵焼き…65
シメジと油揚げの卵とじ…91
蒸し焼きアスパラの目玉焼きのせ…82
ツナ缶オニオンスライス…96
白菜と卵の中華スープ…115

鶏ひき肉の親子煮ごはん…121

【チーズ】
白菜チーズオムレツ…17
レンチンじゃがいもと缶ミートソースのグラタン…42
とろろとウインナーのチーズ焼き…46
かぼちゃとカッテージチーズのサラダ…53
ブロッコリーとハムのカッテージチーズサラダ…81
ワンタンチーズ揚げ…108
はんぺんうにチーズ焼き…102
味つけサバ缶のチーズドリア…94
明太チーズごはん…120

【ヨーグルト】
にんじんヨーグルトサラダ…39

豆腐・大豆製品

【油揚げ】
キャベツのおでん風…13
白菜と油揚げの煮びたし…15
タマネギと油揚げの甘辛炒め…26
たっぷりタマネギの油揚げ包み焼き…27
いんげんと油揚げの煮びたし…71
シメジと油揚げの卵とじ…91
油揚げと青菜の炒め煮…92
油揚げのひき肉巻き煮…93
油揚げと春菊の小鍋…112

【厚揚げ】
厚揚げのネギみそ焼き…29
にんじんと厚揚げの白和え…37
にんじんと厚揚げの甘辛炒め…38
おろし大根と厚揚げのさっと煮…57
焼き厚揚げのショウガじょうゆ…104
厚揚げのオイスターソース焼き…105

【豆腐】
とろろとウインナーのチーズ焼き…46
崩し薬味豆腐…85
白菜と卵の中華スープ…115

【納豆】
納豆磯辺揚げ…109
長芋納豆…86
タマネギ納豆…87

缶詰・乾物・その他

イワシ缶トマト炒め（イワシの缶詰）…97
かまぼこの梅はさみ（梅干し）…100
ひじきチヂミ（乾燥ひじき）…32
セロリとわかめの酢の物（乾燥わかめ）…73
ほうれん草とコーンのバター炒め（コーン缶）…19
プチトマトと粒コーンのバターソテー（コーン缶）…76
味つけサバ缶のチーズドリア（サバの缶詰）…94
サバ缶キムチ（サバの缶詰）（白菜キムチ）…95
サバ缶とネギのすまし汁（サバの缶詰）…114
たくあん入りポテサラ（たくあん）…41
ツナ缶オニオンスライス（ツナ缶）…96
たぬきごはん（天かす）…123
かぼちゃのトマト煮（トマト水煮缶）…54
長芋おかかなめたけ（なめたけ瓶詰）…44
なめたけおろし和え（なめたけ瓶詰）（のり）…56
納豆磯辺揚げ（のり）…109
すりおろしジャガイモのチヂミ（白菜キムチ）…35
白菜漬けともやしの炒めもの（白菜漬け）…16
白菜漬けとプチトマトのスープ（白菜漬け）…117
マカロニブロッコリー（マカロニ）…80
レンチンじゃがいもと缶ミートソースのグラタン（ミートソース缶）…42
ワンタンチーズ揚げ（ワンタンの皮）…108

【ご飯】
もやしのビビンパ…65
味つけサバ缶のチーズドリア…94
しらすおろしごはん…118
ねこめし…119
明太チーズごはん…120
鶏ひき肉の親子煮ごはん…121
ショウガそぼろごはん…122
たぬきごはん…123

著者

瀬尾幸子（せお ゆきこ）

料理研究家。毎日のごはんに合う、誰でも失敗なく作れるおいしいレシピに定評がある。
その中には、初めて料理を作る人にも、毎日作る人にもわかりやすい工夫が詰まっている。
『ラクうまごはんのコツ』（小社刊）で、第２回料理レシピ本大賞、『みそ汁はおかずです』（学研プラス）で、第５回同大賞受賞。
『これだけで、ラクうまごはん』（小社刊）、『これでいいのだ！瀬尾ごはん』（筑摩書房）など著書多数。

本書は2017年10月に小社より刊行した『うれしい副菜』に、新しいレシピを加えリニューアルしたものです。

野菜がおいしい手間なしおかず

2022年11月15日　初版発行
2022年12月25日　第２刷発行

著　者　瀬尾幸子
発行者　富永靖弘
印刷所　公和印刷株式会社

発行所　東京都台東区台東２丁目24　株式会社 新星出版社
〒110-0016　☎03(3831)0743

ISBN978-4-405-09432-1